MAMÓ AG AN SORCAS

Mary Arrigan

a scríobh agus a mhaisigh

Oiriúnach do leanaí ó 4 bliana go 7 mbliana d'aois

G AN GÚM
Baile Átha Cliath

'Tá gliondar orm a bheith ag dul chuig an sorcas,' arsa Mamó.
Bhí an fear grinn ag díol na dticéad.
'Tar isteach, a bhean uasal,' ar seisean.

'Úúú,' arsa Mamó, 'féach!'
'Úúúúú,' arsa na páistí, 'nach cróga
an bheirt iad sin ar an luascán eitilte!'

'Fág an bealach,' arsa Mamó. 'Is féidir liomsa an rud sin a dhéanamh.'
Suas an dréimire léi.
'Stad!' arsa máistreás an tsorcais.

'Óóóóóó! Is mór an spraoi é seo,' arsa Mamó.
Tá sí ag luascadh ar an luascán eitilte.

'Nach iontach an spórt é, a bhuachaillí!' arsa Mamó agus í ag gáire agus ag caitheamh uisce leo. 'Áááááá! Cabhair, cabhair!' arsa na fir ghrinn.

'Grrrrr, grrrr!' arsa an leon mór agus é ag drannadh os íseal.
'Suigh síos, a phuisín,' arsa Mamó. 'Ól an bainne seo. Tá sé go deas.'

'Níl sé deacair na cleasanna seo a dhéanamh,' arsa Mamó.
A haon, a dó, a trí – trí rud atá san aer aici ag an am céanna.

Bóing, bóing! Tá Mamó ag léimneach
ar an trampailín.
'Hoip! Cuir stop leis an mbean sin,'
arsa na gleacaithe.

'Féach ar Mhamó!' arsa na páistí amach os ard.
'Vrúm, vrúm,' arsa Mamó, agus suas léi féin agus a rothar san aer.

'Anois tá sé in am dul abhaile,' arsa Mamó. 'Ba bhreá an spórt a bhí agam ag an sorcas.'